历代传世家训

（简体咏诵本）

第三辑

中国劳动社会保障出版社

图书在版编目（CIP）数据

历代传世家训：简体咏诵本．第三辑 / 养正书坊编．-- 北京：中国劳动社会保障出版社，2020

ISBN 978-7-5167-4721-6

Ⅰ．①历…　Ⅱ．①养…　Ⅲ．①家庭道德 - 中国　Ⅳ．① B823.1

中国版本图书馆 CIP 数据核字（2020）第 209382 号

责任编辑 / 高　尚
责任校对 / 李春雷
责任设计 / 王利民

中国劳动社会保障出版社出版发行
（北京市惠新东街 1 号　邮政编码：100029）

*

北京华联印刷有限公司印刷装订　　新华书店经销
880 毫米 × 1230 毫米　16 开本　12.75 印张　90 千字
2020 年 11 月第 1 版　　2020 年 11 月第 1 次印刷
定价：68.00 元

读者服务部电话：（010）64929211/84209101/64921644
营销中心电话：（010）64962347
出版社网址：http://www.class.com.cn

代序书写　杨士秋
文字书写　陈先郡
书法字体　行　楷

代序

所謂治國必先齊其家者其家不可教而能教人者無之故君子不出家而成教於國孝者所以事君也弟者所以事長也慈者所以使衆也康誥曰如保赤子心誠求之雖不中不遠矣

此序为《大学·传九章》。《大学》是一篇论述修身、齐家、治国、平天下的儒家经典，相传为曾子所作，和《中庸》《论语》《孟子》并称『四书』。

代序

所谓治国必先齐其家者，其家不可教而能教人者，无之。故君子不出家而成教于国。孝者，所以事君也；弟者，所以事长也；慈者，所以使众也。《康诰》曰：“如保赤子。”心诚求之，虽不中，不远矣，

未有學養子而後嫁者也一家仁一國
興仁一家讓一國興讓一人貪戾一國作
亂其機如此此謂一言僨事一人定國
堯舜帥天下以仁而民從之桀紂帥天
下以暴而民從之其所令反其所好而民
不從是故君子有諸己而後求諸人
無諸己而後非諸人所藏乎身不
恕而能喻諸人者未之有也故治國
在齊其家詩云桃之夭夭其葉蓁蓁

未有学养子而后嫁者也。一家仁，一国兴仁；一家让，一国兴让；一人贪戾，一国作乱；其机如此。此谓一言偾事，一人定国。尧舜帅天下以仁而民从之；桀、纣帅天下以暴而民从之。其所令，反其所好，而民不从。是故，君子有诸己而后求诸人，无诸己而后非诸人。所藏乎身不恕，而能喻诸人者，未之有也。故治国在齐其家。《诗》云：“桃之夭夭，其叶蓁蓁。

之子于歸宜其家人宜其家人而後可以教國人詩云宜兄宜弟宜兄宜弟而後可以教國人詩云其儀不忒正是四國其為父子兄弟足法而後民法之也此謂治國在齊其家

之子于归，宜其家人。”宜其家人，而后可以教国人。《诗》云：“宜兄宜弟。”宜兄宜弟，而后可以教国人。《诗》云：“其仪不忒，正是四国。”其为父子兄弟足法，而后民法之也。此谓治国在齐其家。

（选自《大学 · 传九章》）

出版说明

“天下之本在国，国之本在家，家之本在身。”中国社会的重心在家庭，家庭不仅是人们温情相伴、血脉相连的居所，还是人们修身立业、安身立命的依托。传统社会读书人修身、齐家、治国、平天下的人生追求中，齐家是修身的功业和治国、平天下的基础，成为大多数读书人一生的功课。“齐家”就要有一套家庭生活规则体系，体现一个家庭的道德观念、价值追求和精神气质，这就是一个家庭的家教和家风。

在源远流长的传统文化中，孟母三迁、断织劝学、曾子杀猪教子的家庭教育故事到今天已是老幼皆知、耳熟能详。许多传承千古的家训记录了一个个时代社会对家庭生活的规范和要求，是一位位“家长”治家齐家的生命缩影，延续了一个个家庭绵延不绝的文化血脉。

家训作为家教和家风的文字载体，形式多样，包括诗歌、散文、格言、书信等，蕴含着传统文化固有的修齐治平理想、中庸之道、仁义礼智信、忠孝节义廉等优良美德，沉淀着中华民族的教育思想、伦理道德、人生智慧和价值取向，展现着中国家庭的日常生活样式和生活智慧，润泽了一代又一代华夏子孙。

家训呈现一个家庭的精神风貌、道德情操和生活行为，最终落脚在家庭成员的人格养成。在家庭教育功能转移到社会的今天，家训仍不失为人格修养的教科书。父慈子孝、兄友弟恭、夫义妻顺、尊老爱幼、勤俭持家等家庭美德需要每个家庭秉持坚守，良好的家教和家风有助于家庭成员培育人格、陶冶情操、提升修养，这对于醇化社会风气、提升国人素质、传承民族文化至关重要，正所谓“斯文之传，莫大乎是矣”。

本套书共四册，遴选历代名人家训，年代上至春秋、下迄清末，内容涵盖修身、劝学、持家、处事、治家、为政等，文体包括散文、格言和书信等，邀请当代书法家用隶书、楷书、行楷三种字体书写，在内容选取、资料整理、呈现形式上力求有所创新和突破，体现出编者对传统家训的一份温情和敬意，是优秀的传统文化读本。

本套书选自历代典籍，做了节选和核校，依据《辞海》相关内容编辑了作者生平简介。由于编者能力的局限，书中尚有不足之处，敬请专家读者批评指正。

二〇二〇年九月

目录

明

楊繼盛家訓

杨继盛（一五一六—一五五五年），明代著名谏臣。字仲芳，号椒山，直隶容城（今属河北）人。嘉靖二十六年（一五四七年）登进士第，初任南京吏部主事，师从南京吏部尚书韩邦奇学习律吕，后任兵部员外郎。有《杨忠愍集》。

給子應尾應箕書節選

你發憤立志要作個君子則不拘做官不做官人家都敬重你故吾要你第一先立起志氣來讀書見一件好事則便思量吾將來必定要行見一件不好的事則便思量

杨继盛家训

给子应尾、应箕书（节选）

你发愤立志要作个君子，则不拘做官不做官，人家都敬重你，故吾要你第一先立起志气来。读书，见一件好事，则便思量吾将来必定要行；见一件不好的事，则便思量吾將來必定要戒見一個好人則思量將來必定要合他一般見一不好的人則思量吾將來休要學他則心地自然光明正大行事自然不會苟且便為天下第一等人矣你兩個年幼恐油滑之人見了便要哄誘你或請你吃飯或誘你賭博或以心愛之物送你或以美色誘你一入他圈套便吃他虧不惟蕩盡家業且弄你成不得人若是有這樣人哄你便想吾的

吾将来必定要戒；见一个好人，则思量将来必定要合他一般；见一不好的人，则思量吾将来休要学他。则心地自然光明正大，行事自然不会苟且，便为天下第一等人矣。你两个年幼，恐油滑之人见了，便要哄诱你，或请你吃饭，或诱你赌博，或以心爱之物送你，或以美色诱你。一入他圈套，便吃他亏，不惟荡尽家业，且弄你成不得人。若是有这样人哄你，便想吾的

話來識破他合你好是不好的意思便遠了他揀着老成忠厚肯讀書肯學好的人你就與他肝膽相交語言必信逐日與他相處你自然成個好人不入下流也與人相處之道第一要謙下誠實同幹事則勿避勞苦同飲食則勿貪甘美同行走則勿擇好路同睡寢則勿占床席寧讓人勿使人讓吾寧容人勿使人容吾寧吃人之虧勿使人吃吾虧寧受人氣

话，来识破他合你好是不好的意思，便远了他。拣着老成忠厚、肯读书、肯学好的人，你就与他肝胆相交，语言必信，逐日与他相处，你自然成个好人，不入下流也。与人相处之道，第一要谦下诚实，同干事则勿避劳苦，同饮食则勿贪甘美，同行走则勿择好路，同睡寝则勿占床席。宁让人，勿使人让吾；宁容人，勿使人容吾；宁吃人之亏，勿使人吃吾亏；宁受人气，勿使人受吾之氣人有恩於吾則終身不忘人有仇於吾則即時丟過見人之善則對人稱揚不已聞人之過則絕口不對人言人有向你說某人感你之恩則云他有恩於吾吾無恩於他則感恩者聞之其感益深有人向你說某人惱你謗你則云彼與吾平日最相好豈有惱吾謗吾之理則惱吾謗吾者聞之其怨即解人之勝似你則敬重之不可有傲忌之

勿使人受吾之气。人有恩于吾，则终身不忘；人有仇于吾，则即时丢过。见人之善，则对人称扬不已；闻人之过，则绝口不对人言。人有向你说，某人感你之恩，则云他有恩于吾，吾无恩于他，则感恩者闻之，其感益深。有人向你说，某人恼你、谤你，则云彼与吾平日最相好，岂有恼吾、谤吾之理？则恼吾、谤吾者闻之，其怨即解。人之胜似你，则敬重之，不可有傲忌之

心人之不如你則謙待之不可有輕賤之
意又與人相交久而益密則行之邦家
可無怨矣

誡子孝順

你讀書若中舉中進士思我之苦不做
官也是若是做官必須正直忠厚赤心
隨分報國固不可效我之枉愚亦不可因我
為忠受禍遂改心易行懈了為善之志

心；人之不如你，则谦待之，不可有轻贱之意。又与人相交，久而益密，则行之邦家，可无怨矣。

诫子“孝顺”

你读书若中举、中进士，思我之苦，不做官也是。若是做官，必须正直忠厚，赤心随分报国。固不可效我之狂愚，亦不可因我为忠受祸，遂改心易行，懈了为善之志，惹人父賢子不肖之笑我若不在你毋是個最正直不偏心的人你兩個要孝順她凡事依她不可說你毋向那個兒子不向那個兒子向那個媳婦不向那個媳婦要惹她生一些兒氣便是不孝不但天誅你我在九泉之下也擺佈你你兩個是一母同胞的兄弟當和好到老不可各積私財致起爭端不可因言語差錯小事差池便面紅耳赤應箕性

惹人父贤子不肖之笑。我若不在，你母是个最正直不偏心的人，你两个要孝顺她，凡事依她。不可说你母向那个儿子，不向那个儿子；向那个媳妇，不向那个媳妇。要惹她生一些儿气，便是不孝。不但天诛你，我在九泉之下，也摆布你。你两个是一母同胞的兄弟，当和好到老。不可各积私财，致起争端；不可因言语差错，小事差池，便面红耳赤。应箕性

暴些應尾自幼曉得他性兒的看
我面皮若有些衝撞擔待他罷應箕
敬你哥〻要十分小心和敬我一般地敬
才是若你哥〻計較你些兒你便自家
跪拜與他賠禮他若十分惱不解你便
央及你哥相好的朋友勸他不可他惱
了你就不讓他你大伯這樣無情地
擺佈我〻還敬他是你眼見的你待你
哥要學我才好應尾媳婦是儒家

暴些，应尾自幼晓得他性儿的，看我面皮，若有些冲撞，担待他罢！应箕敬你哥哥，要十分小心，和敬我一般地敬才是。若你哥哥计较你些儿，你便自家跪拜与他赔礼；他若十分恼不解，你便央及你哥相好的朋友劝他。不可他恼了，你就不让他。你大伯这样无情地摆布我，我还敬他，是你眼见的。你待你哥，要学我才好。应尾媳妇是儒家

女應算媳婦是宦家女此最難處
應尾要教導你媳婦愛弟妻如親妹
不可因她是官宦人家女便氣不過生
猜忌之心應算要教導你媳婦敬嫂
嫂如親姊衣服首飾穿戴十分好的你嫂
嫂見了口雖不言心裡便有幾分不耐煩
嫌隙自此生矣四季衣服每遇出入妯娌
兩個是一樣的兄弟兩個也是一樣的每
吃飯你兩個同你母一處吃兩個媳婦一

女，应箕媳妇是宦家女，此最难处。应尾要教导你媳妇，爱弟妻如亲妹，不可因她是官宦人家女，便气不过，生猜忌之心。应箕要教导你媳妇，敬嫂嫂如亲姊，衣服首饰穿戴十分好的，你嫂嫂见了，口虽不言，心里便有几分不耐烦，嫌隙自此生矣。四季衣服，每遇出入，妯娌两个是一样的，兄弟两个也是一样的。每吃饭，你两个同你母一处吃，两个媳妇一處吃不可各人和各人媳婦自己房裡吃久則就生惡了你兩個不拘有天來大惱要私下請衆親戚講和切記不可告之於官要是一人先告後者把這字卷送之於官先告者即是不孝官府必重治他央及你兩個好互與我長些志氣再預告問官老先生若見此卷幸憐我苦情教我二子再三勸誘使爭而復和則我九泉之下必有銜結之報

处吃，不可各人和各人媳妇自己房里吃，久则就生恶了。你两个不拘有天来大恼，要私下请众亲戚讲和，切记不可告之于官。要是一人先告，后者把这手卷送之于官，先告者即是不孝，官府必重治他。央及你两个，好歹与我长些志气，再预告问官老先生，若见此卷，幸怜我苦情，教我二子，再三劝诱，使争而复和，则我九泉之下，必有衔结之报。

你堂兄燕雄燕豪燕傑燕賢都是知好歹的人你兩個要敬他讓他祖產今有未均處他若是愛便宜也讓他罷切記休要爭競自有旁人話短長也

你堂兄燕雄、燕豪、燕杰、燕贤，都是知好歹的人。你两个要敬他、让他。祖产分有未均处，他若是爱便宜，也让他罢。切记休要争竞，自有旁人话短长也。

（选自《杨忠愍集》

龐尚鵬家訓

處身固以謙退為貴，若事當勇往而畏縮深藏，則丈夫而婦人矣。古人言若不出口，身若不勝衣，及義所當為，雖孟賁不能奪，此以義為尚者也。

一、孝友勤儉四字，最為立身第一義，必

庞尚鹏（一五二四——一五八〇年），字少南，号惺庵。南海（今属广东）人。嘉靖三十二年（一五五三年）进士，由乐平知县历巡按河南、浙江。后任御史、左佥都御史，以推行一条鞭法和清理整顿两淮盐法而闻名。著有《百可亭稿》《奏议》《殷鉴录》等。

庞尚鹏家训

处身固以谦退为贵，若事当勇往，而畏缩深藏，则丈夫而妇人矣。古人言若不出口，身着不胜衣，及义所当为，虽孟贲不能夺，此以义为尚者也。

一、孝、友、勤、俭四字，最为立身第一义，必

真知力行奉此心為嚴師就事質成及躬體驗考古人前言往行而審其所從必思有所持循無為流俗所蔽若殘忍驕奢百行裂矣他復何望哉然為父母者尤當身任其責易曰家人有嚴君焉父母之謂也蓋父母視家人勢分本為獨尊事權得以專制使挈其綱領內外肅然誰敢不從令若仁柔姑息動多愆違以致紛紛效尤誰執其咎

真知力行，奉此心为严师。就事质成，反躬体验，考古人前言往行，而审其所从，必思有所持循，无为流俗所蔽。若残忍骄奢，百行裂矣，他复何望哉？然为父母者，尤当身任其责。《易》曰：“家人有严君焉，父母之谓也。”盖父母视家人，势分本为独尊，事权得以专制，使挈其纲领，内外肃然，谁敢不从令。若仁柔姑息，动多愆违，以致纷纷效尤，谁执其咎

哉必父兄勉自克責則賢子弟羽翼而佐之予論著乃曲為防檢故屑屑不殫煩

二學貴變化氣質豈為獵章句干利祿哉如輕浮則矯之以嚴重褊急則矯之以寬宏暴戾則矯之以和厚迂遲則矯之以敏迅隨其性之所偏而約之使歸於正乃見學問之功大以古人為鑒莫先於讀書

哉。必父兄勉自克责，则贤子弟羽翼而佐之。予论著乃曲为防检，故屑屑不殚烦。

二、学贵变化气质，岂为猎章句，干利禄哉。如轻浮则矫之以严重，褊急则矫之以宽宏，暴戾则矫之以和厚，迂迟则矫之以敏迅。随其性之所偏，而约之使归于正，乃见学问之功大。以古人为鉴，莫先于读书。

三子弟從師門業本有課程尤當旦暮問察其勤惰驗其生熟使知激昂奮發有所勸懲乃不負責成之志

四子弟以儒書為世業畢力從之力不能則必親農事勞其身食其力乃能立其家否則束手坐困獨不患凍餒乎思祖宗之勤苦知稼穡之艱難必不甘為人下矣前代舉賢以孝弟力田列制科使人人業其官皆習知民隱豈忍

三、子弟从师问业，本有课程，尤当旦暮间察其勤惰，验其生熟，使知激昂奋发，有所劝惩，乃不负责成之志。

四、子弟以儒书为世业，毕力从之。力不能，则必亲农事，劳其身，食其力，乃能立其家。否则束手坐困，独不患冻馁乎？思祖宗之勤苦，知稼穑之艰难，必不甘为人下矣。前代举贤，以孝悌力田列制科，使人人业其官，皆习知民隐，岂忍

賊民以自封殖哉

五田地土名丘段俱要親身踏勘耕管歲收稻穀及稅糧徭差要悉心磨算若畏勞厭厭倚他人為耳目以致欺吞不辨為人所愚如此而不傾覆吾不信也

六民家常業不出農商通查男婦僕幾人某堪稼穡某堪商賈每年工食衣服某若干各考其勤能果否相

贼民以自封殖哉?

五、田地土名丘段，俱要亲身踏勘耕管，岁收稻谷及税粮徭差，要悉心磨算。若畏劳厌厌，倚他人为耳目，以致菽麦不辨，为人所愚，如此而不倾覆，吾不信也。

六、民家常业，不出农商，通查男妇仆几人，某堪稼穑，某堪商贾，每年工食衣服，某若干，各考其勤能果否相

稱如商賈無厚利而妄意强為必至
盡虧資本不如力田猶為上策若曠遠
不能盡耕方許招人承佃審己量力常
取決於老農
七池塘養魚須要供糞草築塘牆桃李
荔枝培泥鋤草人無遺力則地無遺利
各派定某管某處開列日期不時查驗毋
令失業
八柴用耕田稻草如不足即于收穫時並工

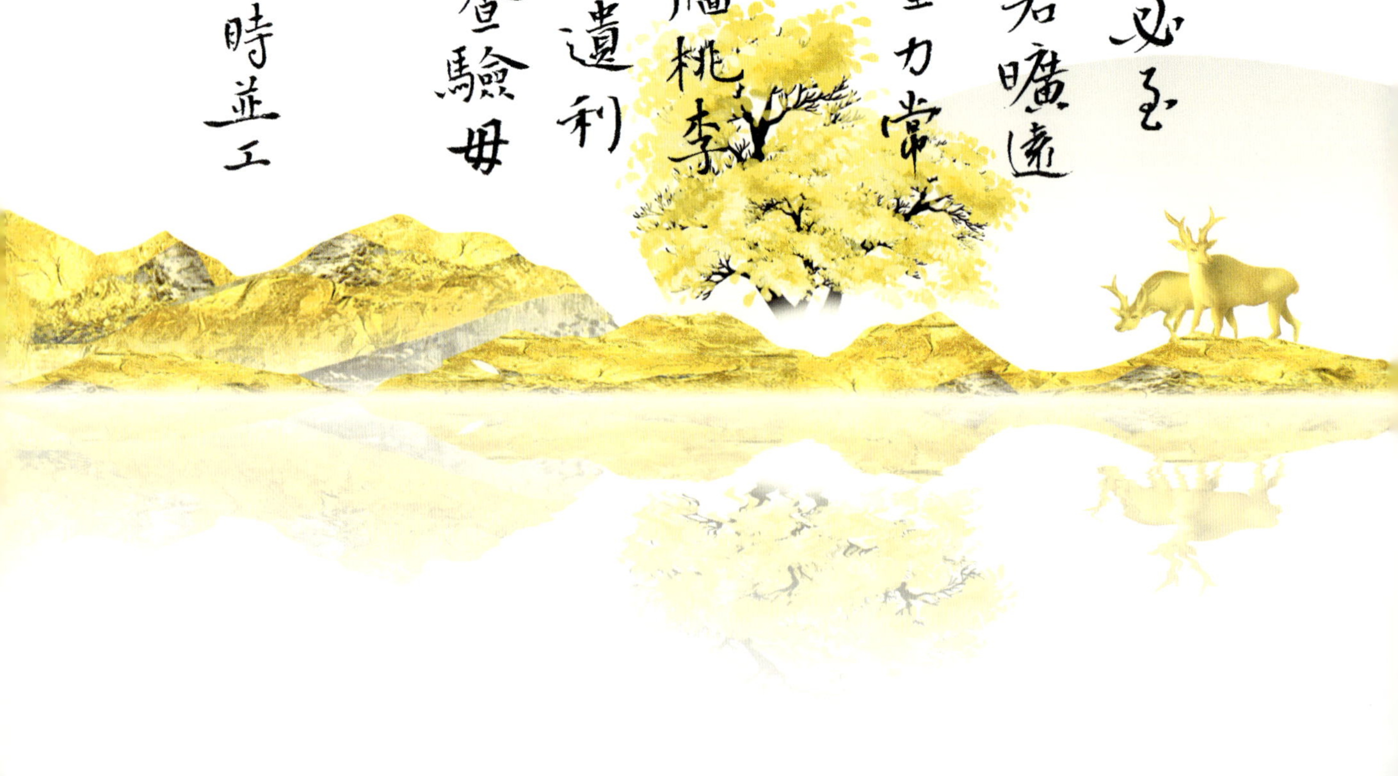

称。如商贾无厚利，而妄意强为，必至尽亏资本，不如力田，犹为上策。若旷远不能尽耕，方许招人承佃。审己量力，常取决于老农。

七、池塘养鱼，须要供粪草，筑塘墙。桃李荔枝，培泥铲草。人无遗力，则地无遗利。各派定某管某处，开列日期，不时查验，毋令失业。

八、柴用耕田稻草，如不足，即于收获时并工

割取用船載田壅積陽溪樹下如空閒去
處務足一歲之用而後已若用銀買柴必
立見困乏豈能常給予
九菜蔬各於園内栽種分畦澆灌各考其
成某人種某處某人種某物隨時加察
以驗勤惰家有餘地而買菜給朝夕
彼冗食者何事乎
十置田租簿先期開寫某佃人承耕某
土各田若干該早晚租穀若干如已納完

割取，用船载回，堆积隔溪树下，如空间去处，务足一岁之用而后已。若用银买柴，必立见困乏，岂能常给予。

九、菜蔬各于园内栽种，分畦浇灌，各考其成。某人种某处，某人种某物，随时加察，以验勤惰。家有余地，而买菜给朝夕，彼冗食者何事乎？

十、置田租簿，先期开写某佃人承耕某土各田若干，该早晚租谷若干。如已纳完，

或拖欠若干名明書項下如遇荒歉慎勿刻意取盈

十一婦主中饋皆當躬親為之凡朝夕柴米蔬菜逐一磨算稽查無令太過不及若坐受豢養是以大家自待而敗吾家也

十二大小僮僕俱先一夕派定明日某幹某事該某日完每夕各令回報以考勤惰若縱容習懶非惟誤我家事亦誤彼終身也

或拖欠若干，各明书项下，如遇荒歉，慎勿刻意取盈。

十一、妇主中馈，皆当躬亲为之。凡朝夕柴米蔬菜，逐一磨算稽查，无令太过不及。若坐受豢养，是以犬豕自待，而败吾家也。

十二、大小僮仆，俱先一夕派定。明日某干某事，该某日完，每夕各令回报，以考勤惰。若纵容习懒，非惟误我家事，亦误彼终身也。

（选自《今古通鉴 · 第二卷》）

吕坤論修身

竟夕點檢恍然獨覺常看得自家未必是他人未必非便有長進再看得他人皆有可取吾身只是過多更有長進只竟夕點檢今日說得幾句話關係身心行得幾件事有益世道自

吕坤（一五三六—一六一八年），字叔简，一字心吾、新吾，自号抱独居士，宁陵（今属河南）人。明朝文学家、思想家。官至刑部左右侍郎。刚正不阿，为政清廉，他与沈鲤、郭正域被誉为明万历年间天下『三大贤』。著有《实政录》《呻吟语》等。

吕坤论修身

竟夕点检　恍然独觉

常看得自家未必是，他人未必非，便有长进。再看得他人皆有可取，吾身只是过多，更有长进。只竟夕点检：今日说得几句话，关系身心？行得几件事，有益世道？自

慊自愧自恍然獨覺矣

士大夫一身斯世之奉宏矣不蠶織而文秀不耕畜而膏粱不雇貸而車馬不商販而積蓄此何故乃於世分毫無補慚負兩間人又以大官詑市井蓋棺有餘愧矣

人人自責自盡不直四海無爭彌宇宙間皆太和之氣矣擔當處都要個自強不息之心受用處都要個有餘不盡

慊自愧，自恍然独觉矣。

士大夫一身，斯世之奉宏矣。不蚕织而文秀，不耕畜而膏粱，不雇贷而车马，不商贩而积蓄，此何故？乃于世分毫无补，惭负两间人。又以大官诧市井，盖棺有余愧矣。

人人自责自尽，不直四海无争，弥宇宙间，皆太和之气矣。担当处，都要个自强不息之心。受用处，都要个有余不尽

之意無謂人唯唯遂以為是我也無謂人默默遂以為服我也無謂人煦煦遂以為愛我也無謂人卑卑遂以為恭我也

綱常大節要自家努力

才能技藝讓他占個高名莫與角勝至於綱常大節定要自家努力不可退居人後貧不足羞可羞是貧而無志賤不足惡可惡是賤而無能老不足歎可歎是老而虛生死不足悲可悲是死

之意。无谓人唯唯，遂以为是我也；无谓人默默，遂以为服我也；无谓人煦煦，遂以为爱我也；无谓人卑卑，遂以为恭我也。

纲常大节要自家努力

才能技艺，让他占个高名，莫与角胜。至于纲常大节，定要自家努力，不可退居人后。贫不足羞，可羞是贫而无志；贱不足恶，可恶是贱而无能；老不足叹，可叹是老而虚生；死不足悲，可悲是死

而無補

休諉罪於氣化一切責之人事休過望

於世間一切求之我身事見到無不可

時便斬截做不要留戀兒女之情不足

以語辦大事者也

斷之一字原謂義所當行卻念有牽

纏事有礙難不得脫然爽潔總然只

在大頭腦處成一個是字第二義都

放下況兒女情利害念那顧得他若

待你百可意千稱心一些好事做不成

而无补。

休诿罪于气化，一切责之人事。休过望于世间，一切求之我身。

事见到无不可时便斩截做，不要留恋。儿女之情不足以语办大事者也。

“断”之一字，原谓义所当行。却念有牵缠、事有掣碍，不得脱然爽洁。总然只在大头脑处成一个“是”字，第二义都放下，况儿女情、利害念，那顾得他？若待你百可意、千称心，一些好事做不成。

（选自《呻吟语 · 内篇》）

清

朱柏廬治家格言

朱柏庐（一六二七—一六八八年），名用纯，字致一，自号柏庐。昆山（今属江苏）人。清代理学家、教育家。清初居乡授徒，治学以程朱理学为本，提倡知行并进。为人正直，严于律己。著有《删补易经蒙引》《四书讲义》《愧纳集》《春秋五传酌解》。

黎明即起灑掃庭除要内外整潔既昏便息關鎖門戶必親自檢點一粥一飯當思來處不易半絲半縷恒念物力維艱宜未雨而綢繆毋臨渴而掘井自奉必須儉約宴客切勿留連器具質而潔瓦缶

朱柏庐治家格言

黎明即起，洒扫庭除，要内外整洁。既昏便息，关锁门户，必亲自检点。一粥一饭，当思来处不易；半丝半缕，恒念物力维艰。宜未雨而绸缪，毋临渴而掘井。自奉必须俭约，宴客切勿留连。器具质而洁，瓦缶勝金玉飲食約而精園蔬勝珍饈勿營華屋勿謀良田三姑六婆實淫盜之媒婢美妾嬌非閨房之福奴僕勿用俊美妻妾切忌豔妝祖宗雖遠祭祀不可不誠子孫雖愚經書不可不讀居身務期質樸教子要有義方勿貪意外之財勿飲過量之酒與肩挑貿易勿佔便宜見貧苦親鄰須多溫恤刻薄成家理無久享倫常乖舛立見消亡

胜金玉；饮食约而精，园蔬胜珍馐。勿营华屋，勿谋良田。三姑六婆，实淫盗之媒；婢美妾娇，非闺房之福。奴仆勿用俊美，妻妾切忌艳妆。祖宗虽远，祭祀不可不诚；子孙虽愚，经书不可不读。居身务期质朴，教子要有义方。勿贪意外之财，勿饮过量之酒。与肩挑贸易，勿占便宜；见贫苦亲邻，须多温恤。刻薄成家， 理无久享；伦常乖舛，立见消亡。

兄弟叔侄須多分潤寡長幼內外宜法
肅辭嚴聽婦言乖骨肉豈是丈夫重資
財薄父母不成人子嫁女擇佳婿毋索重
聘娶媳求淑女毋計厚奩見富貴而生諂
容者最可恥遇貧窮而作驕態者賤莫甚
居家戒爭訟訟則終凶處世戒多言言多
必失毋恃勢力而凌逼孤寡勿貪口腹而
恣殺生禽乖僻自是悔誤必多頹惰自
甘家道難成狎昵惡少久必受其累屈

兄弟叔侄，须多分润寡；长幼内外，宜法肃辞严。听妇言，乖骨肉，岂是丈夫；重资财，薄父母，不成人子。嫁女择佳婿，毋索重聘；娶媳求淑女，毋计厚奁。见富贵而生谗容者，最可耻；遇贫穷而作骄态者，贱莫甚。居家戒争讼，讼则终凶；处世戒多言，言多必失。毋恃势力，而凌逼孤寡；勿贪口腹，而恣杀生禽。乖僻自是，悔误必多；颓惰自甘，家道难成。狎昵恶少，久必受其累；屈志老成急則可相依輕聽發言安知非人之譖訴當忍耐三思因事相爭安知非我之不是須平心暗想施惠勿念受恩莫忘凡事當留餘地得意不宜再往人有喜慶不可生妒忌心人有禍患不可生喜幸心善欲人見不是真善惡恐人知便是大惡見色而起淫心報在妻女匿怨而用暗箭禍延子孫家門和順雖饔飧不繼亦有餘歡國課早完即囊橐無餘

志老成，急则可相依。轻听发言，安知非人之谮诉，当忍耐三思；因事相争，安知非我之不是，须平心暗想。施惠勿念，受恩莫忘。凡事当留余地，得意不宜再往。人有喜庆，不可生妒忌心；人有祸患，不可生喜幸心。善欲人见，不是真善；恶恐人知，便是大恶。见色而起淫心，报在妻女；匿怨而用暗箭，祸延子孙。家门和顺，虽饔飧不继，亦有余欢；国课早完，即囊橐无余，

自得至樂讀書志在聖賢非徒科第為官心存君國豈計身家守分安命順時聽天為人若此庶乎近焉

自得至乐。读书志在圣贤，非徒科第；为官心存君国，岂计身家。守分安命，顺时听天。为人若此，庶乎近焉。

（选自《蒙学十篇》）

王夫之家訓

王夫之（一六一九—一六九二年），字而农，号姜斋，又号夕堂，衡阳（今属湖南）人。他与顾炎武、黄宗羲并称明清之际三大思想家。晚年隐居于衡阳石船山，著书立说，自署南岳遗民，学者遂称之为船山先生。后人编有《船山遗书》。

示子侄

立志之始在脫習氣習氣熏人不醪而醉其始無端其終無謂袖中揮拳針尖競利狂在須臾九牛莫制豈有丈夫忍以身試彼可憐憫我實

王夫之家训

示子侄

立志之始，在脱习气。习气熏人，不醪而醉。其始无端，其终无谓。袖中挥拳，针尖竞利；狂在须臾，九牛莫制。岂有丈夫，忍以身试？彼可怜悯，我实

慚愧前有千古後有百世廣延九州旁及四夷何所羈絡何所拘執焉有騏駒隨行逐隊無盡之財豈吾之積目前之人皆吾之治特不屑耳豈為吾累瀟灑安康天君無系亭亭鼎鼎風光月霽以之讀書得古人意以之立身踞豪傑地以之事親所養惟志以之交友所合惟義惟其超越是以和易光芒燭天芳菲匝地深潭映碧春山凝翠壽考維祺

惭愧！前有千古，后有百世；广延九州， 旁及四夷。何所羁络，何所拘执？焉有骐驹，随行逐队。无尽之财，岂吾之积？目前之人，皆吾之治。特不屑耳，岂为吾累！潇洒安康，天君无系。亭亭鼎鼎，风光月霁。以之读书，得古人意；以之立身，踞豪杰地；以之事亲，所养惟志；以之交友，所合惟义。惟其超越，是以和易。光芒烛天，芳菲匝地。深潭映碧，春山凝翠。寿考维祺，

念之不昧

修己治人

夫讀書將以何為哉辨其大義以立修己治人之體也察其微言以善精義入神之用也乃善讀者有得于心而匠之以書者鮮矣孔子曰吾十有五而志於學志定而學乃益未聞無志而以學為者也以學而遊移其志異端邪說流俗之傳聞

念之不昧！

修己治人

夫读书将以何为哉？辨其大义，以立修己治人之体也；察其微言，以善精义入神之用也。乃善读者有得于心而正之以书者鲜矣……孔子曰：“吾十有五而志于学。”志定而学乃益，未闻无志而以学为志者也。以学而游移其志，异端邪说，流俗之传闻，

淫曼之小慧大以蝕其心愚而小以荒其日月元帝所為至死而不悟者也惡得不歸咎于萬卷之涉獵乎儒者之徒而效其卑陋可勿鑒哉

淫曼之小慧，大以蚀其心思，而小以荒其日月，元帝所为至死而不悟者也。恶得不归咎于万卷之涉猎乎？儒者之徒，而效其卑陋，可勿警哉？

（王夫之《读通鉴论 · 论梁元帝读书》）

張英家訓

张英（一六二七—一七〇八年），字敦复，号乐圃，又号圃翁，桐城（今属安徽）人，清朝大臣，张廷玉之父，被誉为一门三卿。张英为康熙六年进士，后累官至兵部侍郎、礼部侍郎、工部侍郎，文华殿大学士兼礼部尚书。先后充任纂修《国史》总裁官。

立訓四語

聖賢領要之語曰人心惟危道心惟微危者嗜欲之心如堤之束水其潰甚易一潰則不可復收也微者理義之心如帷之映鐙若隱若現見之難而晦之易也人

张英家训

立训四语

圣贤领要之语曰：“人心惟危，道心惟微。”危者，嗜欲之心，如堤之束水，其溃甚易，一溃则不可复收也。微者，理义之心，如帷之映镫，若隐若现，见之难而晦之易也。人

心至靈至動不可過勞亦不可過逸惟
讀書可以養之每見堪輿家平日用磁
石養針書卷乃養心第一妙物閒適無
事之人鎮日不觀書則起居出入身心
無所棲泊耳目無所安頓勢必心意顛
倒妄想生嗔處逆境不樂處順境亦
不樂每見人棲棲皇皇覺舉動無不礙者
此必不讀書之人也
古人有言掃地焚香清福已具其有福

心至灵至动，不可过劳，亦不可过逸，惟读书可以养之。每见堪舆家平日用磁石养针，书卷乃养心第一妙物。闲适无事之人，镇日不观书，则起居出入，身心无所栖泊，耳目无所安顿，势必心意颠倒，妄想生嗔，处逆境不乐，处顺境亦不乐。每见人栖栖皇皇，觉举动无不碍者，此必不读书之人也。

古人有言：扫地焚香，清福已具。其有福

者佐以讀書其無福者便生他想旨哉

斯言予所深賞

且從來拂意之事自不讀書者見之似

為我所獨遭極其難堪不知古人拂意之

事有百倍於此者特不細心體驗耳即

如東坡先生歿後遭逢高孝文字始出

名震千古而當時之憂讒畏譏困頓

轉徙潮惠之間蘇過跣足涉水居近牛

欄是何如境界又如白香山之無嗣陸放

者，佐以读书；其无福者，便生他想。旨哉斯言，予所深赏。

且从来拂意之事，自不读书者见之，似为我所独遭，极其难堪。不知古人拂意之事，有百倍于此者，特不细心体验耳。即如东坡先生，殁后遭逢高、孝，文字始出，名震千古。而当时之忧谗畏讥，困顿转徙潮、惠之间，苏过跣足涉水，居近牛栏，是何如境界？又如白香山之无嗣，陆放

翁之忍飢皆載在書卷彼獨非千載
聞人而所遇皆如此誠平心靜觀則人間
拂意之事可以渙然冰釋若不讀書則
但見我所遭甚苦而無窮怨尤嗔忿之心
燒灼不寧其苦為何如耶且富盛之事
古人亦有之炙手可熱轉眼皆空故讀
書可以增長道心為頤養第一事也

予之立訓更無多言止有四語讀書者
不賤守田者不飢積德者不傾擇交者

翁之忍饥，皆载在书卷。彼独非千载闻人？而所遇皆如此。诚平心静观，则人间拂意之事，可以涣然冰释。若不读书，则但见我所遭甚苦，而无穷怨尤嗔忿之心，烧灼不宁，其苦为何如耶！且富盛之事，古人亦有之，炙手可热，转眼皆空。故读书可以增长道心，为颐养第一事也。

予之立训，更无多言，止有四语：读书者不贱，守田者不饥，积德者不倾，择交者不敗嘗將四語律身訓子亦不用煩言夥說矣雖至寒苦之人但能讀書為文必使人欽敬不敢忽視其人德性亦必溫和行事決不顛倒不在功名之得失遇合之遲速也守田之說詳於恒產瑣言積德之說六經語孟諸史百家無非闡發此義不須贅說擇交之說予目擊身歷最為深切此輩毒人如鴆之入口蛇之螫膚斷斷不易決無

不败。尝将四语律身训子，亦不用烦言夥说矣。虽至寒苦之人，但能读书为文，必使人钦敬，不敢忽视。其人德性亦必温和，行事决不颠倒，不在功名之得失，遇合之迟速也。守田之说，详于《恒产琐言》。积德之说，六经、语、孟、诸史百家，无非阐发此义，不须赘说。择交之说，予目击身历，最为深切。此辈毒人，如鸩之入口，蛇之螫肤，断断不易，决无

解救之說尤四者之綱領也余言無奇止布帛菽粟可衣可食但在體驗親切耳

人生四事

人生必厚重沉靜而後為載福之器思盡人子之責報父祖之恩致鄉里之譽貽後人之澤惟有四事一曰立品二曰讀書三曰養身四曰儉用世家子弟

解救之说，尤四者之纲领也。余言无奇，止布帛菽粟，可衣可食，但在体验亲切耳。

人生四事

人生必厚重沉静，而后为载福之器。

思尽人子之责，报父祖之恩，致乡里之誉，贻后人之泽，惟有四事：一曰立品，二曰读书，三曰养身，四曰俭用。世家子弟

原是貴重更得精金美玉之品言思可道行思可法不驕盈不詐僞不刻薄不輕佻則人之欽重較三公而更貴予不及見

擇友保家

人生以擇友為第一事自就塾以後有室有家漸遠父母之教初離師保之嚴此時乍得友朋投契締交其言甘如蘭芷

原是贵重，更得精金美玉之品，言思可道，行思可法，不骄盈、不诈伪、不刻薄、不轻佻，则人之钦重较三公而更贵，予不及见。

择友保家

人生以择友为第一事。自就塾以后，有室有家，渐远父母之教，初离师保之严。此时乍得友朋，投契缔交，其言甘如兰芷，

甚至父母兄弟妻子之言皆不聽受惟朋友
之言是信一有匪人側於間德性未定識
見未純鮮未有不為其移者余見此屢矣
至仕宦之子弟尤甚一入其彀中迷而不
悟脫有尊長誡諭反生閒隙益滋乖張
故余家訓有云保家莫如擇友蓋痛心
疾首其言之也

甚至父母兄弟妻子之言，皆不听受，惟朋友之言是信。一有匪人侧于间，德性未定，识见未纯，鲜未有不为其移者，余见此屡矣。至仕宦之子弟尤甚，一入其彀中，迷而不悟，脱有尊长诫谕，反生闲隙，益滋乖张。故余家训有云“保家莫如择友”。盖痛心疾首其言之也。

人生三適

人生適意之事有三曰貴曰富曰多子孫然是三者善處之則爲福不善處之則爲累至爲累而求所謂福者不可見矣何則高位者責備之地忌嫉之門怨尤之府利害之關憂患之窟勞苦之藪謗訕之的攻擊之場古之智人往往望而卻步況有榮則必有辱有得則必有失有進則必有退有親則必

人生三适

人生适意之事有三——曰贵、曰富、曰多子孙。然是三者，善处之则为福，不善处之则为累。至为累而求所谓福者，不可见矣。何则？高位者责备之地，忌嫉之门，怨尤之府，利害之关，忧患之窟，劳苦之薮，谤讪之的，攻击之场。古之智人，往往望而却步。况有荣则必有辱，有得则必有失，有进则必有退，有亲则必

有疏若但計丘山之得而不容銖兩之失天下安有此理但己身無大譴過而外來者平淡視之此處貴之道也

處富之道

佛家以貨財為五家公共之物一曰國家二曰官吏三曰水火四曰盜賊五曰不肖子孫夫人厚積則必經營佈置生息防守其勞不可勝言則必有親

有疏。若但计丘山之得，而不容铢两之失，天下安有此理？但己身无大谴过，而外来者平淡视之，此处贵之道也。

处富之道

佛家以货财为五家公共之物：一曰国家，二曰官吏，三曰水火，四曰盗贼，五曰不肖子孙。夫人厚积，则必经营布置、生息防守，其劳不可胜言。则必有亲

戚之請求貧窮之怨望僮僕之奸騙
大而盜賊之劫取小而穿窬之鼠竊經
商之虧折行路之失脫田禾之災傷攘
奪之爭訟子弟之浪費種種之苦貧者
不知惟富厚者兼而有之人能知富之
為累則取之當廉而不必厚積以招怨
視之當淡而不必深忮以累心思我既
有此財貨彼貧窮者不取我而取誰不
怨我而怨誰平心息忿庶不為外物所

戚之请求，贫穷之怨望，僮仆之奸骗。大而盗贼之劫取，小而穿窬之鼠窃。经商之亏折，行路之失脱，田禾之灾伤，攘夺之争讼，子弟之浪费。种种之苦，贫者不知，惟富厚者兼而有之。人能知富之为累，则取之当廉，而不必厚积以招怨；视之当淡，而不必深忮以累心。思我既有此财货，彼贫穷者不取我而取谁？不怨我而怨谁？平心息忿，庶不为外物所

累俭于居身而裕于待物薄于取利而谨于盖藏此处富之道也

教子之道

至子孙之累尤多矣少小则有疾病之虑稍长则有功名之虑浮奢不善治家之虑纳交匪类之虑一离膝下则有道路寒暑饥渴之虑以至由子而孙蝡转无穷更无底止夫年寿既高子息

累。俭于居身，而裕于待物；薄于取利，而谨于盖藏。此处富之道也。

教子之道

至子孙之累尤多矣！少小则有疾病之虑，稍长则有功名之虑，浮奢不善治家之虑，纳交匪类之虑。一离膝下，则有道路寒暑饥渴之虑，以至由子而孙，辗转无穷，更无底止。夫年寿既高，子息

蕃衍焉能保其無疾病痛楚之事賢
愚不齊升沉各異聚散無恒憂樂自
別但當教之孝友教之謙讓教之立品
教之讀書教之擇友教之養身教之
儉用教之作家其成敗利鈍父母不必
過為縈心聚散苦樂父母不必憂戚
成疾但視己無甚刻薄後人自當無
悖出之患己無大偏私後人自無攘奪
之患己無甚貪婪後人自當無蕩盡之

蕃衍，焉能保其无疾病痛楚之事？贤愚不齐，升沉各异，聚散无恒，忧乐自别。但当教之孝友，教之谦让，教之立品，教之读书，教之择友，教之养身，教之俭用，教之作家。其成败利钝，父母不必过为萦心；聚散苦乐，父母不必忧戚成疾。但视己无甚刻薄，后人自当无悖出之患；己无大偏私，后人自无攘夺之患；己无甚贪婪，后人自当无荡尽之

患至於天行之數稟賦之愚有才而不遇無因而致疾延良醫慎調治延良師謹教訓父母之責盡矣父母之心盡矣此處多子孫之道也

予每見世人處好境而鬱鬱不快動多悔吝憂戚必皆此三者之故由不明斯理是以心褊見隘未食其報先受其苦能靜體吾言於擾擾中有熒熒之亮豈非熱火坑中一帖清涼散苦海波中一架八寶筏哉

患。至于天行之数，禀赋之愚，有才而不遇，无因而致疾，延良医慎调治，延良师谨教训，父母之责尽矣！父母之心尽矣！此处多子孙之道也。

予每见世人处好境而郁郁不快，动多悔吝忧戚，必皆此三者之故。由不明斯理，是以心褊见隘，未食其报，先受其苦。能静体吾言，于扰扰中有荧荧之亮，岂非热火坑中一帖清凉散、苦海波中一架八宝筏哉？

必無兩全

古人云予之齒者去其角與之翼者兩其足天道造物必無兩全汝輩既享席豐履厚之福又思事事周全揆之天道豈不誠難唯有敦厚謙謹慎言守禮不可與寒士同一般感慨欷歔放言高論怨天尤人庶不為造物鬼神所呵責況父祖

必无两全

古人云：“予之齿者去其角，与之翼者两其足。”天道造物，必无两全。汝辈既享席丰履厚之福，又思事事周全，揆之天道，岂不诚难？唯有敦厚谦谨，慎言守礼，不可与寒士同一般感慨欷歔，放言高论，怨天尤人，庶不为造物鬼神所呵责。况父祖

經營多年有田廬別業身則勞于王事不獲安享為子孫者生而受其福乃又不思安享而妄想妄行寧不大可惜耶

致壽之道

昔人論致壽之道有四曰慈曰儉曰和曰靜傳曰仁者靜又曰知者動每見氣躁之人舉動輕佻多不得壽古人謂硯以世計墨以時計筆以日計動靜之分也靜之義有

经营多年，有田庐别业，身则劳于王事，不获安享。为子孙者，生而受其福，乃又不思安享，而妄想妄行，宁不大可惜耶？

致寿之道

昔人论致寿之道有四：曰慈、曰俭、曰和、曰静。……传曰："仁者静。"又曰："知者动。"每见气躁之人，举动轻佻，多不得寿。古人谓砚以世计，墨以时计，笔以日计，动静之分也。静之义有二一則身不過勞一則心不輕動凡遇一切勞頓憂惶喜樂恐懼之事外則順以應之此心凝然不動如澄潭如古井則志一動氣外間之紛擾皆退聽矣此四者於養生之理極為切實較之服藥引導奚啻萬倍哉若服藥則物性易偏或多燥滯引導吐納則易至作輟必以四者為根本不可舍本而務末也道德經五千言其要旨不外於此銘之座右時時體察當有裨益耳

二：一则身不过劳，一则心不轻动。凡遇一切劳顿忧惶喜乐恐惧之事，外则顺以应之，此心凝然不动，如澄潭，如古井，则志一动气，外间之纷扰皆退听矣。此四者，于养生之理极为切实，较之服药引导，奚啻万倍哉？若服药则物性易偏，或多燥滞。引导吐纳，则易至作辍。必以四者为根本，不可舍本而务末也。《道德经》五千言，其要旨不外于此，铭之座右，时时体察，当有裨益耳。

（选自《聪训斋语》）

愛新覺羅玄燁庭訓格言

讀書明理勇猛精進

為上人者用人雖宜信然亦不可遽信在下者常視上意所向而巧以投之一有偏好則下必投其所好以誘之朕于諸藝無所不能爾等見吾偏好一藝

爱新觉罗·玄烨（一六五四—一七二二年），清圣祖，年号康熙，世称康熙皇帝。八岁登基，十四岁亲政，在位六十一年（一六六一—一七二二年），是中国历史上在位时间最长的皇帝。

爱新觉罗 · 玄烨庭训格言

读书明理　勇猛精进

为人上者，用人虽宜信，然亦不可遽信；在下者，常视上意所向而巧以投之，一有偏好，则下必投其所好以诱之。朕于诸艺无所不能，尔等见吾偏好一艺乎是以凡藝俱不能溺我爾等凡居家在外惟宜潔淨人平日潔淨則清氣著身若近污穢則濁氣所染而清明之氣漸爲所蒙蔽矣讀書以明理爲要理既明則中心有主而是非邪正自判矣凡看書不爲書所愚始善

易云日新之謂盛德學者一日必進一步方不虛度時日人苟能有决定不移

乎？是以凡艺俱不能溺我。

尔等凡居家在外，惟宜洁净。人平日洁净，则清气着身；若近污秽，则为浊气所染，而清明之气渐为所蒙蔽矣。

读书以明理为要。理既明则中心有主，而是非邪正自判矣。凡看书不为书所愚始善。

《易》云：“日新之谓盛德。”学者一日必进一步，方不虚度时日。人苟能有决定不移

之志勇猛精進而又貞常永固毫不退轉則凡技藝焉有不成者哉人果專心於一藝一技則心不外馳于身有益凡人盡孝道欲得父母之歡心者不在衣食之奉養也惟持善心行合道理以慰父母而得其歡心斯可謂真孝者矣

好酒貪杯傷身亂行

禮義之心人皆有之未有安心為非而逆乎人道者也若或有之不過百中一二

之志，勇猛精进而又贞常永固毫不退转，则凡技艺焉有不成者哉！人果专心于一艺一技，则心不外驰，于身有益。凡人尽孝道，欲得父母之欢心者，不在衣食之奉养也。惟持善心，行合道理，以慰父母而得其欢心，斯可谓真孝者矣。

好酒贪杯　伤身乱行

礼义之心，人皆有之。未有安心为非而逆乎人道者也。若或有之，不过百中一二。

然此輩亦有所由起或有負氣而縱者或有使酒而縱者夫負氣者猶知顧忌而使酒者竟毫無所畏此非其人為之而酒為之也故古之聖王遠焉賢士戒焉世之好飲者樂酒無厭心恒狂亂遂至形骸顛倒禮法喪失其為敗德何可勝言是故朕諄諄教飭爾等斷不可耽於酒者正為傷身亂行莫此為甚也

然此辈亦有所由起，或有负气而纵者，或有使酒而纵者。夫负气者犹知顾忌，而使酒者竟毫无所畏。此非其人为之而酒为之也。故古之圣王远焉，贤士戒焉。世之好饮者，乐酒无厌，心恒狂乱，遂至形骸颠倒、礼法丧失，其为败德，何可胜言！是故，朕谆谆教饬尔等断不可耽于酒者，正为伤身乱行，莫此为甚也！

讀書至要存心體身

朱子云讀書之法當循序而有常致一而不懈從容乎句讀文義之間而體驗乎操存踐履之實然後心靜理明漸見意味不然則雖廣求博取日誦五車亦奚益於學哉此言乃讀書之至要也人之讀書本欲存諸心體諸身而求實得於己也如不然將書泛然讀之何用凡讀書人皆宜奉此以為訓也

读书至要　存心体身

朱子云：“读书之法，当循序而有常致，一而不懈，从容乎句读文义之间，而体验乎操存践履之实，然后心静理明，渐见意味。不然，则虽广求博取，日诵五车，亦奚益于学哉？”此言乃读书之至要也。人之读书，本欲存诸心，体诸身，而求实得于己也。如不然，将书泛然读之，何用？凡读书人皆宜奉此以为训也。

順
適為安自然為樂
嘗觀宋史孝宗月四朝太上皇稱為盛
事孝宗于宗固為敦倫之主然而上皇
在御自當乘暇問視豈可限定朝見
之期朕事皇太后五十餘年總以家庭
常禮出乎天倫至性遇有事奏啟一
日二三次進見者有之或無事即間
數日者有之至於萬壽誕辰嘉時
令節朕備家宴恭請臨幸則自晨

顺适为安　自然为乐

尝观《宋史》，孝宗月四朝太上皇，称为盛事。孝宗于宋固为敦伦之主，然而上皇在御，自当乘暇问视，岂可限定朝见之期？朕事皇太后五十余年，总以家庭常礼出乎天伦至性。遇有事奏启，一日二三次进见者有之；或无事，即间数日者有之。至于万寿诞辰、嘉时令节，朕备家宴，恭请临幸。则自晨至暮左右奉侍岂止月覲數次朕巡狩江南出獵塞北也隨本報三日一次恭請聖安外仍使近侍太監乘傳請安並進所獲鹿麞雉兔鮮果鮮魚之類凡有所得即令馳進從不拘定日期且朕侍皇太后家人禮數以至順適為安自然為樂並不以朝見日期限定禮法而稱孝也

至暮，左右奉侍，岂止月觐数次？朕巡狩江南，出猎塞北，也随本报三日一次恭请圣安外，仍使近侍太监乘传请安，并进所获鹿、狍、雉、兔、鲜果、鲜鱼之类。凡有所得，即令驰进，从不拘定日期。且朕侍皇太后家人礼数，以全顺适为安，自然为乐，并不以朝见日期限定礼法而称孝也。

熟讀孝經身體力行

孝經一書曲盡人子事親之道爲萬世人倫之極誠所謂天之經地之義民之行也推原孔子所以作經之意蓋深望夫後之儒者身體力行以助宣教化而敦厚風俗其旨甚遠其功甚宏學者自當留心誦習服膺弗失可也

熟读《孝经》　身体力行

《孝经》一书，曲尽人子事亲之道，为万世人伦之极，诚所谓天之经、地之义、民之行也。推原孔子所以作经之意，盖深望夫后之儒者身体力行，以助宣教化而敦厚风俗。其旨甚远，其功甚宏，学者自当留心诵习，服膺弗失可也。

（据《中华家训》整理）

愛新覺羅胤禛聖諭廣訓

敦孝弟以重人倫

我聖祖仁皇帝臨御六十一年法祖尊親孝思不匱欽定孝經衍義一書衍釋經文義理詳貫無非孝治天下之意故聖諭十六條首以孝弟開其端朕丕承

爱新觉罗·胤禛（一六七八—一七三五年），清世宗，年号雍正，世称雍正皇帝。在位十三年（一七二三—一七三五年）。

爱新觉罗 · 胤禛圣谕广训

敦孝悌以重人伦

我圣祖仁皇帝，临御六十一年，法祖尊亲，孝思不匮。钦定《孝经衍义》一书，衍释经文，义理详贯，无非孝治天下之意。故圣谕十六条，首以孝悌开其端。朕丕承鴻業追維往訓推廣立教之思先申孝弟之義用是與爾兵民人等宣示之夫孝者天之經地之義民之行也人不知孝父母獨不思父母愛子之心乎方其未離懷抱飢不能自哺寒不能自衣為父母者審音聲察形色笑則為之喜啼則為之憂行動則跬步不離疾痛則寢食俱廢以養以教至於成人復為授家室謀生理百計經營心力俱瘁父母之德實同

鸿业，追维往训，推广立教之思，先申孝悌之义，用是与尔兵民人等宣示之。夫孝者，天之经、地之义、民之行也。人不知孝父母，独不思父母爱子之心乎？方其未离怀抱，饥不能自哺，寒不能自衣，为父母者，审音声，察形色，笑则为之喜，啼则为之忧，行动则跬步不离，疾痛则寝食俱废。以养、以教，至于成人。复为授家室、谋生理，百计经营，心力俱瘁。父母之德实同

昊天罔極人子欲報親恩于萬一自當
内盡其心外竭其力謹身節用以勤
服勞以隆孝養
毋博弈飲酒毋好勇鬥狠毋好貨財私
妻子縱使儀文未備而誠愨有餘推而
廣之如曾子所謂居處不莊非孝事君
不忠非孝蒞官不敬非孝朋友不信非
孝戰陣無勇非孝皆孝子分内之事也
至若父有冢子稱曰家督弟有伯兄尊曰

昊天罔极，人子欲报亲恩于万一，自当内尽其心，外竭其力，谨身节用，以勤服劳，以隆孝养。

毋博弈饮酒，毋好勇斗狠，毋好货财、私妻子。纵使仪文未备，而诚悫有余，推而广之，如曾子所谓：居处不庄非孝，事君不忠非孝，莅官不敬非孝，朋友不信非孝，战阵无勇非孝，皆孝子分内之事也。至若父有冢子，称曰家督；弟有伯兄，尊曰家長凡日用出入事無大小衆子弟皆當諮稟焉飲食必讓語言必順步趨必徐行坐立必居下凡以明弟道也夫十年以長則兄事之五年以長則肩隨之況同氣之人乎故不孝與不弟相因事親與事長並重能為孝子然後能為悌弟能為孝子悌弟然後在田野為循良之民在行間為忠勇之士爾兵民亦知為子當孝為弟為悌所患習焉不察致自離

家长。凡口用出入，事无大小，众子弟皆当咨禀焉。饮食必让，语言必顺，步趋必徐行，坐立必居下，凡以明悌道也。夫十年以长，则兄事之；五年以长，则肩随之，况同气之人乎？故不孝与不悌相因，事亲与事长并重。能为孝子，然后能为悌弟；能为孝子悌弟，然后在田野为循良之民，在行间为忠勇之士尔。兵民亦知为子当孝，为弟为悌，所患习焉不察，致自离於人倫之外若能痛自愧悔出於心之至誠竭其力之當盡由一念孝弟積而至於念、皆然勿尚虛文勿略細行勿沽名而市譽勿勤始而怠終孝弟之道庶克敦矣夫不孝不弟國有常刑然顯然之跡刑所能防隱然之地法所難及設罔知愧悔自陷匪僻朕心深為不忍故丁寧告誡庶爾兵民咸體朕意感發興起各盡子弟之職

于人伦之外。若能痛自愧悔，出于心之至诚，竭其力之当尽，由一念孝悌，积而至于念念皆然，勿尚虚文，勿略细行，勿沽名而市誉，勿勤始而怠终，孝悌之道庶克敦矣。夫不孝不悌，国有常刑。然显然之迹，刑所能防；隐然之地，法所难及。设罔知愧悔，自陷匪僻，朕心深为不忍，故丁宁告诫。庶尔兵民，咸体朕意？感发兴起，各尽子弟之职。

於戲聖人之德本於人倫堯舜之道不外孝弟孟子曰人人親其親長其長而天下平爾兵民其毋視爲具文焉

明禮讓以厚風俗

漢儒有曰凡民函五常之性而其剛柔緩急音聲不同系水土之風氣故謂之風好惡取捨動靜無恒隨厭情欲故

于戏！圣人之德，本于人伦；尧舜之道，不外孝悌。孟子曰：“人人亲其亲，长其长，而天下平尔。”兵民其毋视为具文焉！

明礼让以厚风俗

汉儒有曰：凡民函五常之性，而其刚柔缓急，音声不同，系水土之风气，故谓之风。好恶取舍，动静无恒，随厥情欲，故

謂之俗其間淳漓厚薄難以强同奢儉質文不能一致是以聖人製為禮以齊之孔子曰安上治民莫善於禮蓋禮為天地之經萬物之序其體至大其用至廣道德仁義非禮不成尊卑貴賤非禮不定冠婚喪祭非禮不備郊廟燕饗非禮不行是知禮也者風俗之原也然禮之用貴於和而禮之實存乎讓子曰能以禮讓為國乎何有又曰先

谓之俗。其间淳漓厚薄，难以强同。奢俭质文，不能一致。是以圣人制为礼以齐之。孔子曰：“安上治民，莫善于礼。”盖礼为天地之经，万物之序；其体至大，其用至广。道德仁义，非礼不成；尊卑贵贱，非礼不定；冠婚丧祭，非礼不备；郊庙燕飨，非礼不行。是知礼也者，风俗之原也。然礼之用，贵于和；而礼之实，存乎让。子曰：“能以礼让为国乎，何有？”又曰：“先之以敬讓而民不爭使徒習乎繁文縟節而無實意以將之則所謂禮者適足以長其浮偽滋其文飾矣夫禮之節文爾兵民或未盡習禮之實意爾兵民皆所自具即如事父母則當孝養事長上則當恭順夫婦之有倡隨兄弟之有友愛朋友之有信義親族之有款洽此即爾心自有之禮讓不待外求而得者也誠能和以處眾平以自牧在家

之以敬让而民不争，使徒习乎繁文缛节而无实意以将之，则所谓礼者，适足以长其浮伪，滋其文饰矣。”夫礼之节文，尔兵民或未尽习；礼之实意，尔兵民皆所自具。即如事父母，则当孝养；事长上，则当恭顺。夫妇之有倡随，兄弟之有友爱，朋友之有信义，亲族之有款洽，此即尔心自有之礼让，不待外求而得者也。诚能和以处众，平以自牧。在家

庭而父子弟兄底于肅雍在鄉黨而長幼老弱歸於親睦毋犯嚣凌之戒毋蹈縱恣之愆毋肆一念之貪遂成攘奪毋逞一時之忿致啟紛爭毋因貧富異形有蔑視之意毋見强弱異勢起迫脅之心各戒澆漓共歸長厚

則循於禮者無悖行敦於讓者無競心藹然有恩秩然有義黨庠術序相率為俊良農工商賈不失為醇樸

庭，而父子弟兄底于肃雍；在乡党，而长幼老弱归于亲睦。毋犯嚣凌之戒，毋蹈纵恣之愆；毋肆一念之贪遂成攘夺，毋逞一时之忿致启纷争，毋因贫富异形有蔑视之意，毋见强弱异势起迫胁之心。各戒浇漓，共归长厚。

则循于礼者，无悖行；敦于让者，无竞心。蔼然有恩，秩然有义，党庠术序，相率为俊良，农工商贾，不失为醇朴。

即韜鈐介胄之士亦被服乎禮樂詩書
以潛消其剽悍桀驁豈非太和之氣大
順之徵乎書曰謙受益滿招損古語又
曰終身讓路不枉百步終身讓畔不
失一段可知禮讓之有得而無失也如此
朕願爾等兵民等聆聖祖之訓而返求之於
一身爾能和其心以待人則不和者自化
爾能平其情以接物則不平者亦孚一
人倡之衆人從之一家行之一里效之由近

即韬钤介胄之士，亦被服乎礼乐诗书，以潜消其剽悍桀骜，岂非太和之气，大顺之征乎？《书》曰：“谦受益，满招损。”古语又曰：“终身让路，不枉百步。终身让畔，不失一段。”可知礼让之有得而无失也。如此，朕愿尔等兵民等聆圣祖之训，而返求之于一身尔。能和其心以待人，则不和者自化尔。能平其情以接物，则不平者亦乎。人倡之，众人从之。一家行之，一里效之。由近

以及於遠由勉以至於安漸仁摩義俗
厚風淳庶不負諄、誥誡之意哉

以及于远，由勉以至于安。渐仁摩义，俗厚风淳，庶不负谆谆诰诫之意哉！

（据《中华家训》等资料整理）

鄭板橋家訓

郑板桥（一六九三—一七六五年），原名燮，字克柔，号板桥，人称板桥先生，江苏兴化人。祖籍苏州。乾隆元年（一七三六年）进士。任山东范县、潍县知县，政绩显著。乾隆十八年（一七五三年），因请求赈灾，忤怒大吏，乞疾归。著有《郑板桥集》。

諭麟兒

吾壯年好罵人所罵者都屬推廓不開之假斯文異乎當世恃才傲物者之罵人動謂人不如我見鄉墨則罵舉人不通見會墨則罵進士不通未入學

郑板桥家训

谕麟儿

吾壮年好骂人，所骂者都属推廓不开之假斯文，异乎当世恃才傲物者之骂人，动谓人不如我，见乡墨则骂举人不通，见会墨则骂进士不通，未入学者見秀才考卷則罵秀才不通既然目空一世自己之為文必能遠勝於人詎知實際非特不能勝人及不如所罵之秀才舉人進士遠甚所為不及求諸己徒見他人之不通自己傲氣既長不肯用功深造而眼高手低握管作文自嫌弗及不通秀才免得獻醜索性擱筆不為文於是潦倒終身永無寸進余壯年傲氣亦盛而對於勝我者卻肯低頭降

者，见秀才考卷，则骂秀才不通。既然目空一世，自己之为文，必能远胜于人，讵知实际非特不能胜人，反不如所骂之秀才、举人、进士远甚。所为不反求诸已，徒见他人之不通。自已傲气既长，不肯用功深造，而眼高手低，握管作文，自嫌弗及不通秀才，免得献丑，索性搁笔不为文，于是潦倒终身，永无寸进。余壮年傲气亦盛，而对于胜我者，却肯低头降

伏見佳文愛之不肯釋手雖百讀不厭
故能僥倖成名然亦四下鄉場始得脫穎
而出亦為傲氣所阻也

至今思之猶如芒刺在背爾資質鈍賴
李師辛苦栽培之力得以冠年入場初試原
為觀場計李師與我皆不望爾一試成名
不過有此一度經驗下屆入場便老練而
不起恐慌一試不售奚可即出怨言只須自
知文字不佳下帷攻苦既有名師指導

伏。见佳文，爱之不肯释手，虽百读不厌，故能侥幸成名，然亦四下乡场，始得脱颖而出，亦为傲气所阻也。

至今思之，犹如芒刺在背。尔资质钝，赖李师辛苦栽培之力，得以冠年入场。初试原为观场计，李师与我，皆不望尔一试成名，不过有此一度经验，下届入场，使老练而不起恐慌。一试不售，奚可即出怨言？只须自知文字不佳，下帷攻苦，既有名师指导，

進步較易苟火到功深取青紫易如拾芥也細思吾言而力行之予有厚望焉

寄舍弟墨

余五十二歲始得一子豈有不愛之理然愛之必以其道雖嬉戲頑耍務令忠厚悱惻毋為刻急也平生最不喜籠中養鳥我圖娛悅彼在囚牢何情何理而

进步较易。苟火到功深，取青紫易如拾芥也。细思吾言而力行之，予有厚望焉。

寄舍弟墨

余五十二岁始得一子，岂有不爱之理！然爱之必以其道，虽嬉戏顽耍，务令忠厚悱恻，毋为刻急也。平生最不喜笼中养鸟，我图娱悦，彼在囚牢，何情何理，而

必屈物之性以適吾性乎
至於髮系蜻蜓線縛螃蟹為小兒頑具
不過一時片刻便折拉而死夫天地生物
化育劬勞一蟻一蟲皆本陰陽五行之氣
絪蘊而出上帝亦心心愛念而萬物之性人
為貴吾輩竟不能體天之心以為心萬
物將何所託命乎蛇螈蜈蚣豺狼虎豹
蟲之最毒者也然天既生之我何得而
殺之若必欲盡殺天地又何必生

必屈物之性以适吾性乎！

至于发系蜻蜓，线缚螃蟹，为小儿顽具，不过一时片刻便折拉而死。夫天地生物，化育劬劳，一蚁一虫，皆本阴阳五行之气行絪蕴而出。上帝亦心心爱念。而万物之性人为贵，吾辈竟不能体天之心以为心，万物将何所托命乎？蛇蟥、蜈蚣、豺狼、虎豹，虫之最毒者也。然天既生之，我何得而杀之？若必欲尽杀，天地又何必生？

亦惟驅之使遠避之使不相害而已蜘蛛
結網于人何罪或謂其夜間咒月令人牆
傾壁倒遂擊殺無遺此等説話出於何
經何典而遂以此殘物之命可乎哉可乎
哉我不在家兒子便是你管束要須
長其忠厚之情驅其殘忍之性不得
以爲猶子而姑縱惜也家人兒女總是
天地間一般人當一般愛惜也不可使
吾兒凌虐他凡魚飧果餅宜均分散

亦惟驱之使远，避之使不相害而已。蜘蛛结网，于人何罪，或谓其夜间咒月，令人墙倾壁倒，遂击杀无遗。此等说话，出于何经何典，而遂以此残物之命，可乎哉，可乎哉？我不在家，儿子便是你管束。要须长其忠厚之情，驱其残忍之性，不得以为犹子而姑纵惜也。家人儿女，总是天地间一般人，当一般爱惜也，不可使吾儿凌虐他。凡鱼飧果饼，宜均分散

給大家歡嬉跳躍若吾兒坐食好物令家人子遠立而望不得一沾唇齒其父母見而憐之無可如何呼之使去豈非割心剜肉乎夫讀書中舉中進士做官此是小事第一要明理做個好人可將此書讀與郭嫂饒嫂聽使二婦人知愛子之道在此不在彼也

给，大家欢嬉跳跃。若吾儿坐食好物，令家人子远立而望，不得一沾唇齿，其父母见而怜之，无可如何，呼之使去，岂非割心剜肉乎？夫读书中举、中进士做官，此是小事，第一要明理做个好人。可将此书读与郭嫂、饶嫂听，使二妇人知爱子之道，在此不在彼也。

（选自《郑板桥全集》）

彭端淑示子侄

彭端淑（约一六九九—约一七七九年），字乐斋，号仪一，眉州丹棱（今四川丹棱）人。雍正十一年（一七三三年）进士，任吏部主事，迁本部员外郎、郎中，顺天乡试同考官等职。文学家，与李调元、张问陶一起被后人并称为『清代四川三才子』。

天下事有難易乎為之則難者亦易矣不為則易者亦難矣人之為學有難易乎學之則難者亦易矣不學則易者亦難矣吾資之昏不逮人也吾材之庸不逮人也旦旦而學之久而

彭端淑示子侄

天下事有难易乎？为之，则难者亦易矣；不为，则易者亦难矣。人之为学有难易乎？学之，则难者亦易矣；不学，则易者亦难矣。吾资之昏，不逮人也；吾材之庸，不逮人也。旦旦而学之，久而

不怠焉迄乎成而亦不知其昏與庸也吾資之聰倍人也吾材之敏倍人也屏棄而不用其與昏與庸無以異也聖人之道卒于魯也傳之然則昏庸聰敏之用豈有常哉

蜀之鄙有二僧其一貧其一富貧者語于富者曰吾欲之南海何如富者曰子何恃而往曰吾一瓶一鉢足矣富者曰吾數年來欲買舟而下猶未能

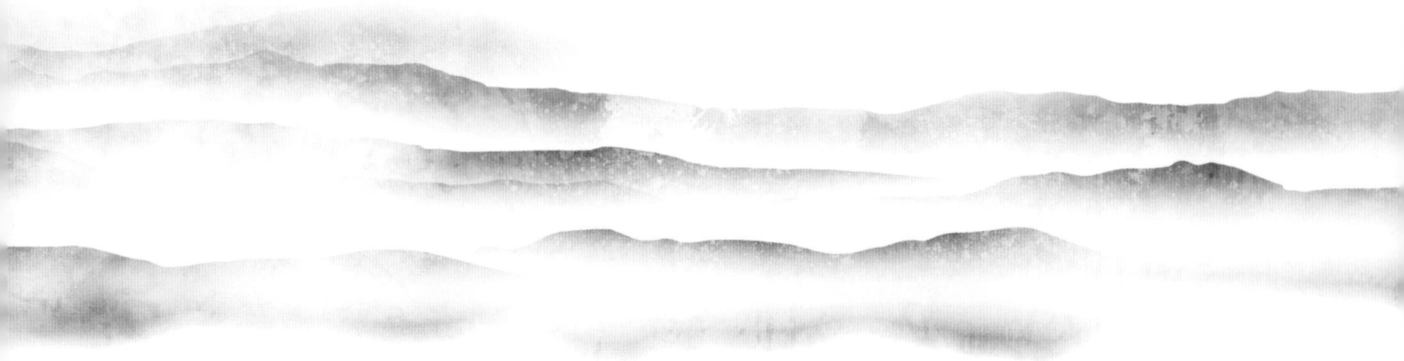

不怠焉。迄乎成，而亦不知其昏与庸也。吾资之聪，倍人也；吾材之敏，倍人也。屏弃而不用，其与昏与庸无以异也。圣人之道，卒于鲁也传之。然则昏庸聪敏之用，岂有常哉？

蜀之鄙有二僧，其一贫，其一富。贫者语于富者曰：“吾欲之南海，何如？”富者曰：“子何恃而往？”曰：“吾一瓶一钵足矣。”富者曰：“吾数年来欲买舟而下，犹未能

也子何恃而往越明年貧者自南海還
以告富者富者有慚色人之為學故
不如蜀鄙之僧哉
是故聰與敏可恃而不可恃也自恃其
聰與敏而不學者自敗者也昏與庸
可限而不可限也不自限其昏與庸而力
學不倦者自立者也

也。子何恃而往？”越明年，贫者自南海还，以告富者。富者有惭色。人之为学，故不如蜀鄙之僧哉？

是故聪与敏，可恃而不可恃也，自恃其聪与敏而不学者，自败者也。昏与庸，可限而不可限也，不自限其昏与庸而力学不倦者，自立者也。

（《国朝文录 · 白鹤堂文录》）

紀昀家訓

纪昀（一七二四—一八〇五年），字晓岚，一字春帆，晚号石云，道号观弈道人，直隶献县（今属沧州）人。清学者、文学家。乾隆年间进士，历官左都御史，兵部、礼部尚书，协办大学士加太子太保管国子监事，曾任《四库全书》馆总纂修官。

寄内子四戒四宜

父母同負教育子女之責任，今我寄旅京華，義方之教，責在爾躬。而婦女心性，偏愛者多，殊不知愛之不以其道，反足以害之焉。其道維何？約言之

纪昀家训

寄内子・四戒四宜

父母同负教育子女之责任，今我寄旅京华，义方之教，责在尔躬。而妇女心性，偏爱者多，殊不知爱之不以其道，反足以害之焉。其道维何？约言之有四戒四宜一戒晏起二戒懶惰三戒奢華四戒驕傲既守四戒又須規以四宜一宜勤讀二宜敬師三宜愛眾四宜慎食以上八則為教之金科玉律爾宜銘諸肺腑時時以之教誨三子雖僅十六字渾括無窮爾宜細細領會後輩之成功立業盡在其中焉書不一一 容後續告

有四戒四宜：一戒晏起；二戒懒惰；三戒奢华；四戒骄傲。既守四戒，又须规以四宜：一宜勤读；二宜敬师；三宜爱众；四宜慎食。以上八则，为教子之金科玉律，尔宜铭诸肺腑，时时以之教诲三子。虽仅十六字，浑括无穷，尔宜细细领会，后辈之成功立业，尽在其中焉。书不一一，容后续告。

（《寄内子论教子书》）

林則徐家訓

林则徐（一七八五—一八五〇年），侯官（今福建福州）人，字少穆、石麟，晚号俟村老人、俟村退叟等。清代名臣。嘉庆进士，曾任东河河道总督、江苏巡抚，道光十八年（一八三八年）任湖广总督。一八三九年，林则徐于广东禁烟。著有《林文忠公政书》。

守三戒作表率

字諭汝舟兒：爾叨蒙天恩高厚，祖宗積德，年才廿八，已成進士，授職編修，是為僥倖成名，切不可自滿，宜守三戒：一戒傲慢，二戒奢華，三戒浮躁。爾既奉母弟居京華

林则徐家训

守三戒　作表率

字谕汝舟儿：尔叨蒙天恩高厚，祖宗积德，年才廿八，已成进士，授职编修，是为侥幸成名，切不可自满。宜守三戒：一戒傲慢；二戒奢华；三戒浮躁。尔既奉母弟居京华，務宜體我寸心常持勤敬與和睦凡家庭間能守得幾分勤敬未有不興能守得幾分和睦未有不發若不勤不和之家未有不敗者也爾昔在侯宦將此四字于族戚人家驗之必以吾言為有證也爾性懶書案上詩文亂堆不好收拾潔淨此是敗家氣象嗣後務宜痛改細心收拾即一紙一縷皆宜檢拾伶俐以為弟輩之榜樣勿以為

务宜体我寸心，常持勤敬与和睦。凡家庭间能守得几分勤敬，未有不兴；能守得几分和睦，未有不发。若不勤不和之家，未有不败者也。尔昔在侯官，将此四字于族戚人家验之，必以吾言为有证也。尔性懒，书案上诗文乱堆，不好收拾洁净。此是败家气象，嗣后，务宜痛改，细心收拾。即一纸一缕，皆宜检拾伶俐，以为弟辈之榜样。勿以为

是公子是編修一舉一動皆須人
服侍也爾能勤二弟皆能勤爾能和
二弟皆學和爾能孝二弟皆學孝
爾為一家之表率慎之慎之

勿貪利祿勿荒學業
大兒知悉接來信知吾兒三載在外十
月内將田籍一次並順道沿海路來粵
一遊甚為欣慰吾兒三載離鄉汝母汝

是公子，是编修，一举一动皆须人服侍也。尔能勤，二弟皆学勤；尔能和，二弟皆学和；尔能孝，二弟皆学孝。尔为一家之表率，慎之，慎之。

勿贪利禄　勿荒学业

大儿知悉：接来信，知吾儿三载在外，十月内将回籍一次，并顺道沿海路来粤一游，甚为欣慰。吾儿三载离乡，汝母汝婦雖在家安居然或則倚閭望兒或則登樓思夫客子歸鄉天倫之樂融如吾兒有此家思不以外物而攖情為父殊深嘉許父十一載在外雖坐八軒食方丈意氣豪然然一念及家中狀況覺居官雖好不如還鄉特以君恩深重公務冗忙有志未能申耳吾兒在都位不過司務旅進旅退毫無建樹而一官在身學業反多荒棄

妇，虽在家安居，然或则倚闾望儿，或则登楼思夫。客子归乡，天伦之乐融如。吾儿有此家思，不以外物而撄情，为父殊深嘉许。父十一载在外，虽坐八轩，食方丈，意气豪然，然一念及家中状况，觉居官虽好，不如还乡。特以君恩深重，公务冗忙，有志未能申耳。

　　吾儿在都，位不过司务，旅进旅退，毫无建树。而一官在身，学业反多荒弁。

誠不如暫時回籍之尚得事母持家且可重溫故業與古人為友足以長進學識也男兒讀書本為致君澤民然四十而仕尚未為遲吾兒年方三十不過君恩高厚徼倖成名何德何才而能居此交友日益多志氣日益損閱歷未深而遽服官實非載福之道為父平日所以不言者恐阻汝壯志長汝暮氣今吾兒既日知汲長綆短思告假回籍孝以事母

诚不如暂时回籍之，尚得事母持家，且可重温故业，与古人为友，足以长进学识也。男儿读书，本为致君泽民。然四十而仕，尚未为迟。吾儿年方三十，不过君恩高厚，徼幸成名，何德何才，而能居此。交友日益多，志气日益损；阅历未深，而遽服官，实非载福之道。为父平日所以不言者，恐阻汝壮志，长汝暮气。今吾儿既日知汲长绠短，思告假回籍，孝以事母，

靜以修學實先得吾心又何阻為
唯有一言囑汝者服官時〻作歸
計勿貪利祿勿戀權位而一旦歸家則
又應時〻作用世計勿兒女情長勿荒
棄學業須磨勵自修以為一旦之用
是則用舍行藏無施不可矣吾兒其
牢記之

邇來身體如何須加意當心父年事
雖高然精神甚旺飯量更較前增

静以修学，实先得吾心，又何阻为?

唯有一言嘱汝者：服官时应时时作归计，勿贪利禄，勿恋权位；而一旦归家，则又应时时作用世计，勿儿女情长，勿荒弃学业，须磨励自修，以为一旦之用。是则用舍行藏，无施不可矣。吾儿其牢记之。

近来身体如何，须加意当心。父年事虽高，然精神甚旺，饭量更较前增

高汝母在家亦甚康健可勿深念
汝弟秋闈雖蒙薦卷未能入彀此
正本力不足未可怨天尤人悶甚鬱
抑吾見寄家書時可以善言婉勸
之父有不便言焉來書字迹潦
草何匆促至是後宜戒之

高。汝母在家，亦甚康健，可勿深念。汝弟秋闱，虽蒙荐卷，未能入彀。此正才力不足，未可怨天尤人，闻甚郁抑。吾儿寄家书时，可以善言婉劝之，父有不便言焉。来书字迹颇潦草，何匆促至是，后宜戒之。

拘謹篤實發奮功苦

字諭聰彝兒爾兄在京供職余又遠戍塞外唯爾奉母與弟妹居家責任甚重所當謹守者五一須勤讀敬師二須孝順奉母三須友于愛弟四須和睦親戚五須愛惜光陰爾今年已十九矣余年十三補弟子員二十舉於鄉爾兄十六歲入泮二十二歲登賢書爾今猶是青衿一領本則三子中惟爾資質最鈍余

拘谨笃实　发奋功苦

字谕聪彝儿：尔兄在京供职，余又远戍塞外。唯尔奉母与弟妹居家，责任甚重，所当谨守者五：一须勤读敬师；二须孝顺奉母；三须友于爱弟；四须和睦亲戚；五须爱惜光阴。尔今年已十九矣，余年十三补弟子员，二十举于乡；尔兄十六岁入泮，二十二岁登贤书。尔今犹是青衿一领。本则三子中惟尔资质最钝，余固不望爾成名但望爾成一拘謹篤實子弟爾若堪棄文學稼是余所最欣喜者蓋農居四民之首為世間第一等高貴之人所以余在江蘇時即囑爾母購置北郭隙地建築別墅並收買四圍糧田四十畝自行雇工耕種即為爾與拱兒預為學稼之謀爾今已為秀才就此拋撇詩文常居別墅隨工人以學習

固不望尔成名，但望尔成一拘谨笃实子弟。尔若堪弃文学稼，是余所最欣喜者。盖农居四民之首，为世间第一等高贵之人。所以余在江苏时，即嘱尔母购置北郭隙地，建筑别墅，并收买四围粮田四十亩，自行雇工耕种，即为尔与拱儿预为学稼之谋。尔今已为秀才，就此抛撇诗文，常居别墅，随工人以学习

耕作黎明即起終日勤動而不知倦便是田園之好弟子

至於拱兒年僅十三猶是白丁尚非學稼之年宜督其勤懇用功姚師乃侯官名師及門弟子領鄉薦捷禮闈者不勝縷指計其所改拱兒之窗課能將不通語句改易數字便成警句如此聖手莫說侯官士林中都推重為

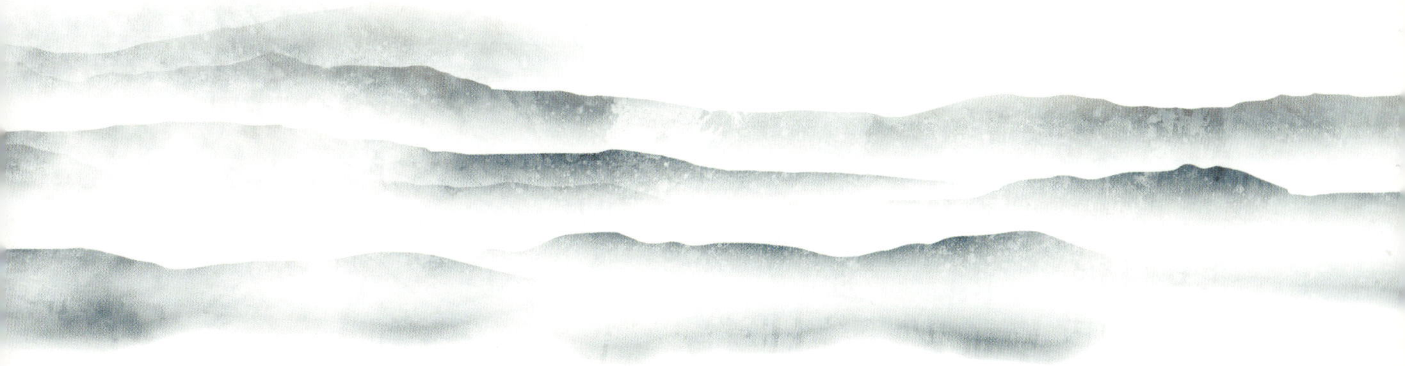

耕作，黎明即起，终日勤动而不知倦，便是田园之好弟子。

至于拱儿，年仅十三，犹是白丁，尚非学稼之年，宜督其勤恳用功。姚师乃侯官名师，及门弟子领乡荐、捷礼闱者，不胜缕指计。其所改拱儿之窗课，能将不通语句改易数字，便成警句。如此圣手，莫说侯官士林中都推重为

名師只恐遍中國亦罕有第二人也
拱兒既得此名師若不發奮攻苦
太不長進也
前日寄來窗課五篇文理尚通唯
筆下太嫌枯澀此乃欠缺看書功夫
之故爾宜督其愛惜光陰除誦讀
作文外餘暇須披閱史籍唯每
看一種須自首至末詳細閱完然後
再易他種最忌東拉西扯閱過即忘

名师，只恐遍中国亦罕有第二人也。拱儿既得此名师，若不发奋攻苦，太不长进也。

前日寄来窗课五篇，文理尚通，唯笔下太嫌枯涩，此乃欠缺看书功夫之故。尔宜督其爱惜光阴，除诵读作文外，余暇须披阅史籍。唯每看一种，须自首至末详细阅完，然后再易他种。最忌东拉西扯，阅过即忘，

無補實用並需預備看書日記冊遇有心得隨手摘錄苟有費解或疑問亦須摘出請姚師講解則獲益多矣

无补实用。并需预备看书日记册。遇有心得，随手摘录。苟有费解或疑问，亦须摘出，请姚师讲解，则获益多矣。

（选自《林则徐文集 · 家书》）